U0099740

人類智慧大發明

新雅文化事業有限公司
www.sunya.com.hk

大開眼界小百科

人類智慧大發明

作者：羅伯托·亞歷山德里尼（Roberto Alessandrini）、欽齊亞·邦奇（Cinzia Bonci）、洛多維卡·錫馬（Lodovica Cima）、阿爾貝托·羅希尼（Alberto Roscini）、安娜利薩·斯特拉達（Annalisa Strada）、亞哥斯提諾·特萊尼（Agostino Traini）
插圖：亞哥斯提諾·特萊尼（Agostino Traini）
翻譯：張琳
責任編輯：劉慧燕
美術設計：何宙樺
出版：新雅文化事業有限公司
香港英皇道499號北角工業大廈18樓
電話：(852) 2138 7998
傳真：(852) 2597 4003
網址：http://www.sunya.com.hk
電郵：marketing@sunya.com.hk
發行：香港聯合書刊物流有限公司
香港新界大埔汀麗路36號中華商務印刷大廈3字樓
電話：(852) 2150 2100
傳真：(852) 2407 3062
電郵：info@suplogistics.com.hk
印刷：中華商務彩色印刷有限公司
香港新界大埔汀麗路36號
版次：二〇一七年七月初版

ISBN:978-962-08-6837-5

Published by arrangement with Atlantyca S.p.A.
Original Title: Le Invenzioni Dell'uomo
Text by Roberto Alessandrini, Cinzia Bonci, Lodovica Cima, Alberto Roscini, Annalisa Strada, Agostino Traini
Original cover and internal illustrations by Agostino Traini
18/F, North Point Industrial Building, 499 King's Road, Hong Kong
Published and printed in Hong Kong.

嘿！你準備好跟我一起去旅行了嗎？

在這趟旅程中，我貓頭鷹導遊將帶你認識一些對人類生活影響極大的發明。其中不得不提的當然有電，電的出現使我們的生活質素大大提升。而要生活得舒適，一間堅固的房屋是不可缺少的，所以我們也會認識一下房屋是如何建成的。此外，表示時間的鐘錶、傳遞知識的書籍，還有一些交通工具和電器，它們的出現也對我們的生活裨益不少，就讓我們一起來看看究竟它們是怎樣而來的吧！

如果你覺得我的講解有些複雜，那就請你仔細看看插畫，你會發現一切都變得容易許多。為了幫助理解，我還把難懂的詞語變成了紅色：如果你遇到這樣的詞彙，而你不知道它的意思，就請翻到「詞彙解釋」這一頁上去尋找答案。

另外，在看完每一章後，我們都可以稍作休息，利用每章末尾的圖或提示文字回顧一下旅程中的一些重點。

祝你旅途愉快！

目錄

電

馬克正在電視機前，觀看他最喜歡的卡通片。家中那隻調皮的貓為了追一個小球，被電視機的電線纏住了。「啪！」插頭從插座上被拔了下來！「什麼也看不到了！」馬克叫嚷道。「別擔心，」媽媽安慰他，「只要把插頭再插上，電就回來了，電視機就能工作了。」

「哇！」馬克驚歎道，「電一定有無窮的力量。它能讓好多東西都運轉起來！可是……電是如何產生的呢？」

小朋友，你有沒有想過電究竟是怎麼產生的呢？快快翻到下一頁，找出答案吧！

電存在於大自然之中，只是我們很難看到它。也許你已經知道，所有物體都是由名叫「原子」的微小顆粒組成。它們有多細小呢？你先想一下你所知道的最細小的東西，好吧，原子比這個東西要小起碼1000萬倍！原子是由帶正電荷（+）的微粒和帶負電荷（-）的微粒組成的，正常情況下，兩種微粒的數量是一樣的。

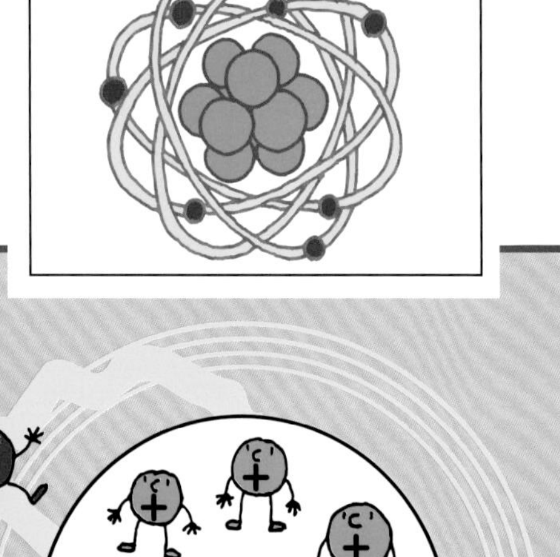

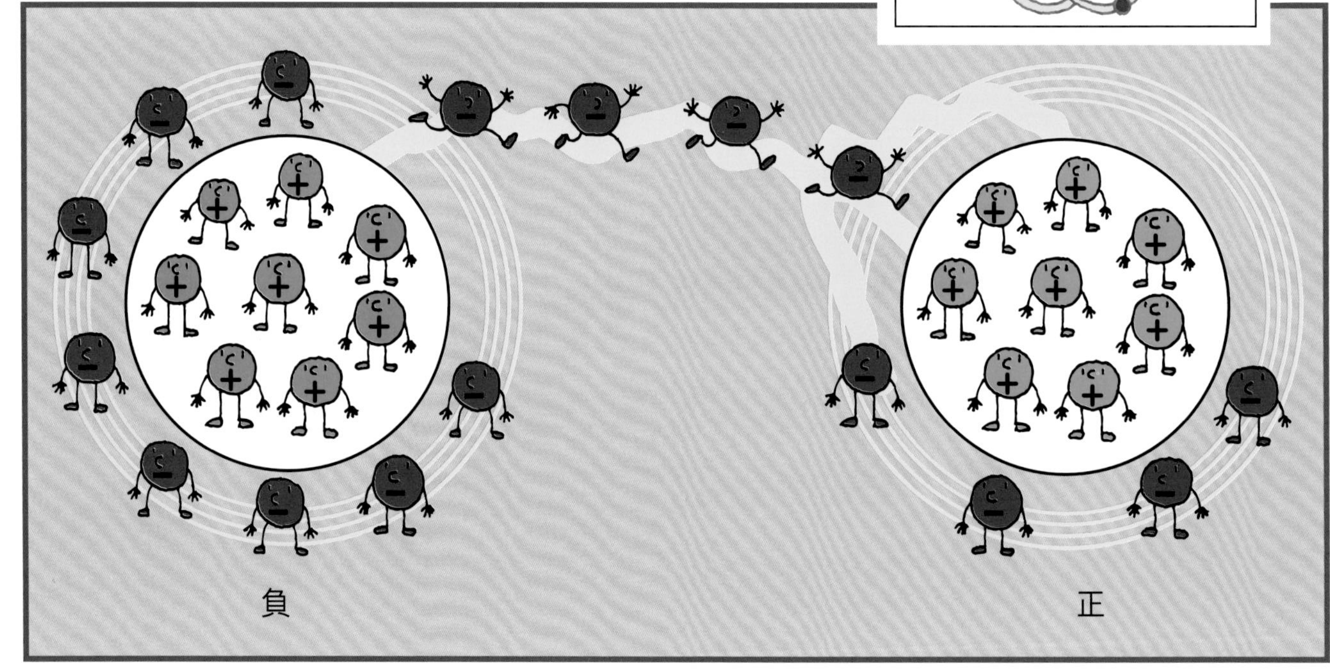

與正電荷的數量相比，負電荷的數量能增加或減少：當負電荷的數量比正電荷多的時候，物體會帶有負電，反之，物體則帶正電。當一個帶有負電的物體與一個帶有正電的物體相遇時，會有能量被釋放出來，產生放電現象。

在自然界，最壯觀的放電現象就是閃電。你能想像嗎？有些動物也會放電，比如一種叫「電鰩」的魚類，放電便是牠們自衞的武器！

可是，人類卻不能將這種能源為己所用，經過了許多年的研究，人類才學會製造電能。

貓頭鷹告訴你

你想做個小實驗嗎？取一枝塑膠做的筆或一把膠尺子，用紙巾或抹布反覆擦拭它最少十次，然後將它靠近一些小紙片，你會看到紙片都被它吸了起來，甚至黏在上面！這是魔術嗎？才不是，這只是一個與電相關的現象。當筆和尺子被擦拭後，表面會產生靜電，因而能吸引輕小的物體。

如今，電能是在大型的發電廠裏被生產出來的。為了讓發電廠能發電，我們需要一些來自大自然的外部能源，如水力、太陽能、風力。此外，燃燒煤炭、瓦斯和柴油，或直接對原子進行干預形成核能所產生的熱力也能發電。

風力發電

熱能發電

核能發電

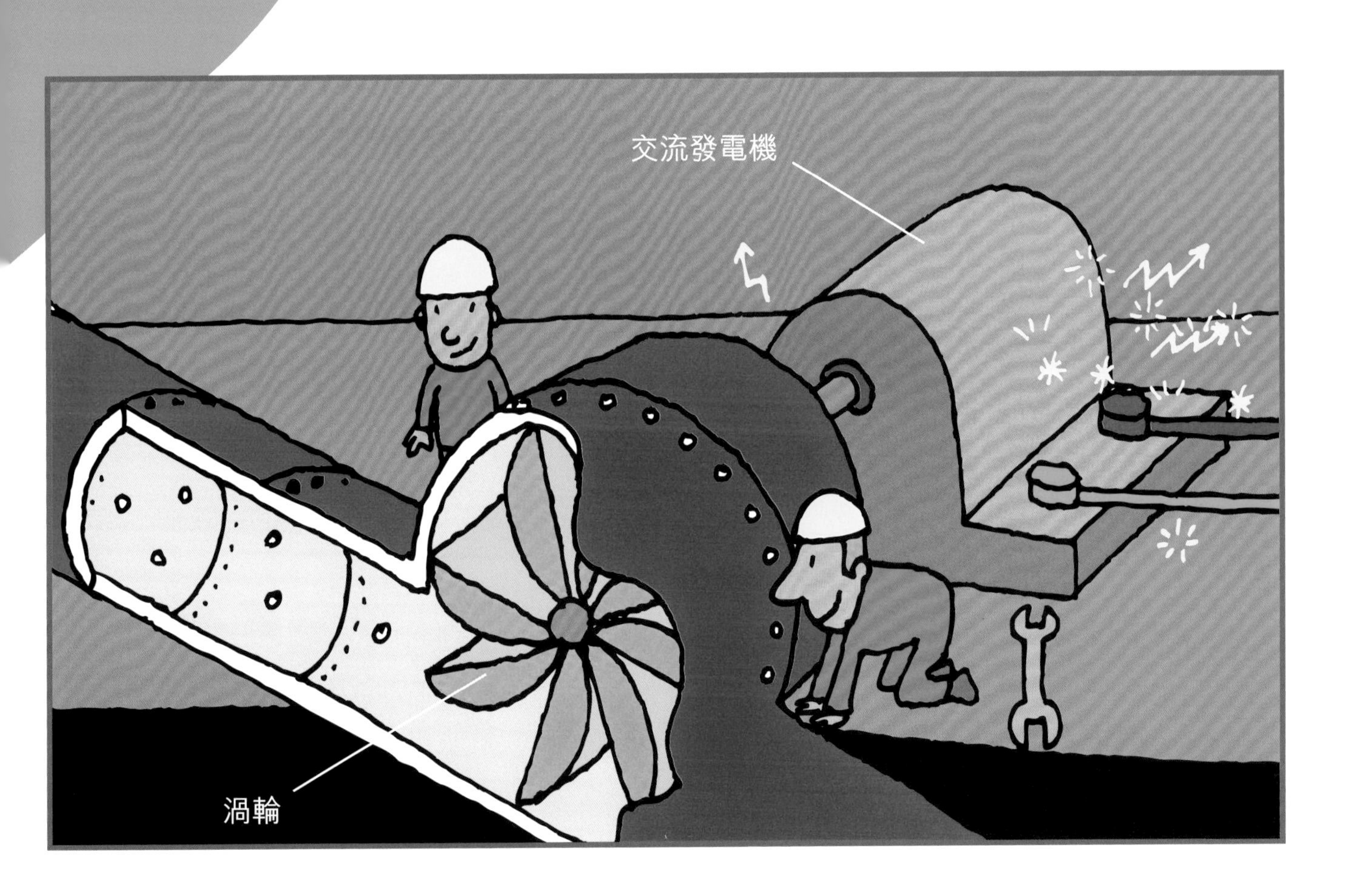

這些能量可以讓與交流發電機連接在一起的渦輪轉動起來。交流發電機是一種可以將能量轉化為電流的大型機器。從這一步起，電才開始了它從遠離城市的發電廠直到我們家中的漫長旅行。你準備好和我一起追蹤它的行跡了嗎？

貓頭鷹告訴你

不過，那些以燃燒的方式來發電的發電廠給人們製造了一些麻煩，因為它們有污染性，也就是説會弄髒環境。雖然那些利用可再生能源，如太陽能和風力發電的發電廠在發電過程中比較潔淨，但是因為使用這類能源發電需要有特定的天然環境，所以目前這類發電廠的數量還是比較少。

離開發電廠後，電流經過由導體製成的電纜，導體就是能夠傳輸電流的材料。

電纜被高高的電纜塔架在空中。塔上還掛着絕緣體，它能防止電流從電纜漏出，到達地面上。就這樣，電前行到變電站；變電站對來到這裏的電進行流向控制，並把電分配到農村、工廠和城市裏。

貓頭鷹告訴你

那些需要用到電池的物品也是電器。比如手電筒，電從電池到達小燈泡的路徑和電從發電廠到達路燈的路徑其實是一樣的，不過規模小得多！

在城市裏，電從地下管線中流過，所以在馬路上你是看不到電纜塔的。通過這樣的方式，電被輸送到醫院、學校、有軌電車的電線裏，點亮了路燈、霓虹燈和信號燈，它還……

來到我們的家中！要是你有透視眼，能看穿你家的牆壁，你會看到牆壁後有許多電線，它們把電輸送到各電源開關和電源插座上。

這樣一來，電燈泡、電視機、電腦、電風扇、電冰箱和許多其他的家用電器便能接收到足以使它們運作起來的電能，給我們帶來溫暖、光明、聲音等。

幸好有電，我們的生活才能如此便利和精彩！

貓頭鷹告訴你

注意！電非常有用，但同時也非常危險！千萬不要隨意將手或其他物件插進電源插座或玩弄電線，以免觸電。

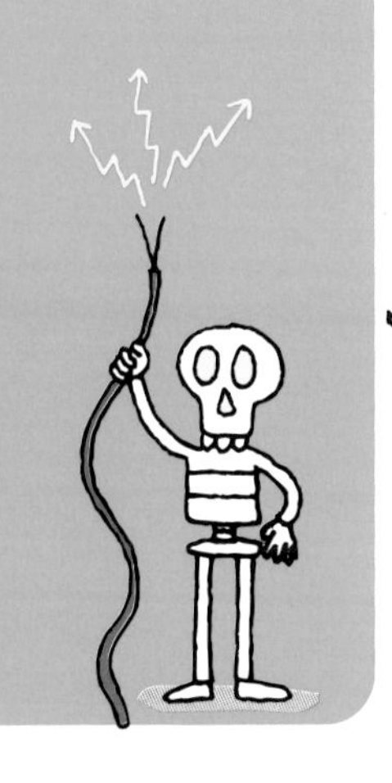

現在就讓我們回顧一下與生產和使用電力有關的重要環節吧！請你根據下面的圖畫說說看。

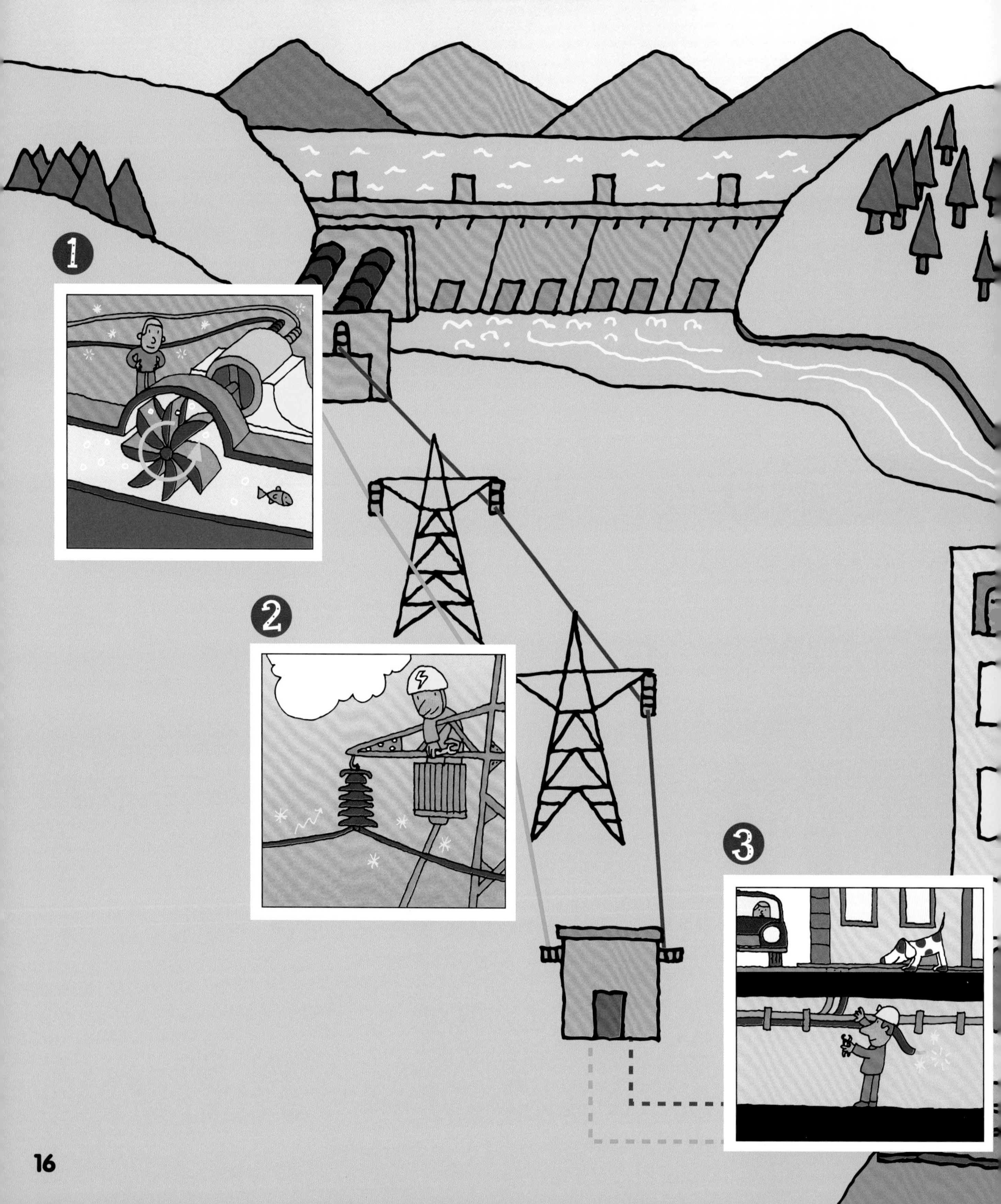

5
6
4

詞彙解釋

渦輪 渦輪是一個由四周帶有葉片的輪子組成的機器，它在水、蒸汽或瓦斯產生的能量推動下轉動。

電纜塔 電纜塔是一座又高又壯的鐵質或木質構架，它由許多互相連接成網狀的零件組成。

絕緣體 絕緣體是指那些不容易讓電流通過的物質，如塑膠、橡膠和木頭。絕緣體通常被運用在有觸電危險的地方，如電線、電纜塔等。

電源開關 電源開關是讓電流中斷或通過的裝置。在幾乎所有電器設備上都能找到它，在牆上也能看到它，我們要用它來開啟電器或關掉電器。

電燈泡 由特殊的金屬絲製成，外面有玻璃保護，接通電流後，金屬絲會發熱直至白熱化，產生光。

家用電器 依靠電力運作的設備，它們能幫助我們完成許多家務，比如洗衣服、去除灰塵、攪拌食物等。

房屋

小鳥嘴裏銜着小樹枝來來回回地飛，這是為什麼？原來牠正在大樹的枝丫間為自己築巢呢。那隻灰色的野兔又為何挖了一個地洞呢？牠也在建造巢穴，不過是在地下！沒錯，所有動物都需要一個藏身之地，身在其中可以躲避危險，保護牠們的幼兒，能讓牠們覺得安心。

人類和動物一樣，也有自己的安身之所，那就是房屋！

你有沒有想過房屋是如何建造起來的呢？快快翻到下一頁，讓我們一起來看看吧。

房屋是在紙上誕生的！沒錯，它最初是平面的，比日後真正要成為的樣子小得多。

建築師把房屋的設計畫在很大的紙張上：他要畫好多張圖，房屋的每一面和每一層都是一幅圖。

當建築師完成所有設計圖後，他便會找來工程師，一起決定用哪種材料能把房子做得堅固又結實。

接着，便輪到建築工人上場了，他們必須嚴格遵照工程師和建築師的指示，把設計方案變成真正的房子。

大樹需要依靠樹根才能穩固地站在地面上，對房屋來說，地基和柱子就是它的樹根。建築工人正是從地基開始建造房屋，他們會先在建屋的地面周圍插上木樁，拉起帶子，或是用圍板來劃出建築範圍。

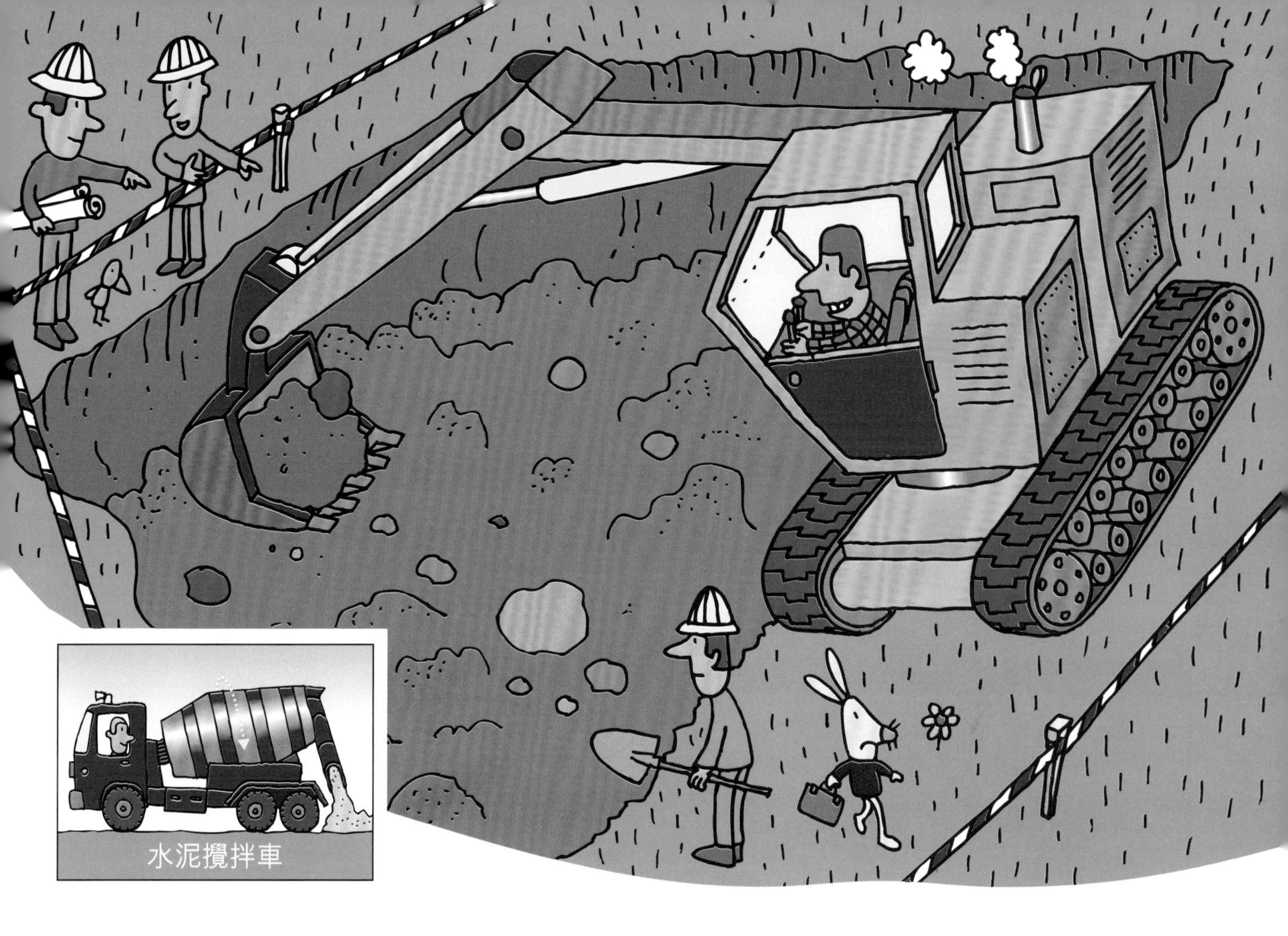

水泥攪拌車

隨後，挖土機來了，它會挖出一個很深的洞，建築工人就往這個洞裏填鋼筋混凝土，鋼筋混凝土是由混凝土和鋼條組成的。

混凝土被裝在水泥攪拌車裏攪拌，水泥攪拌車是一種帶有大滾筒的特殊車輛。當然，只有地基是不夠的，房屋可是非常重的呢！因此，建築工人還要搭建柱子來支撐多層的房屋。

貓頭鷹告訴你

在學會建造房屋之前，人類住在哪裏呢？他們住在山洞裏，就是岩石上天然形成的洞穴，或者住在自己挖的地洞裏，拿樹枝和樹葉來遮住洞口。

現在，建築工人開始搭建外牆，外牆和整棟建築物一樣高，要從地基一直搭到屋頂。建築工人們在砌牆的時候，必須記得依照建築師繪製的圖紙上的位置，在牆上留下門和窗的開口。砌牆需要用磚，要把磚一塊接一塊地堆疊整齊，再用水泥黏合起來。水泥需要水泥攪拌車來攪拌，再用泥刀將它抹在磚上。砌完一排磚，建築工人會繼續往上砌另一排，直至砌到天花板。磚有不同的類型，如：堅固的實心磚和重量較輕的空心磚。

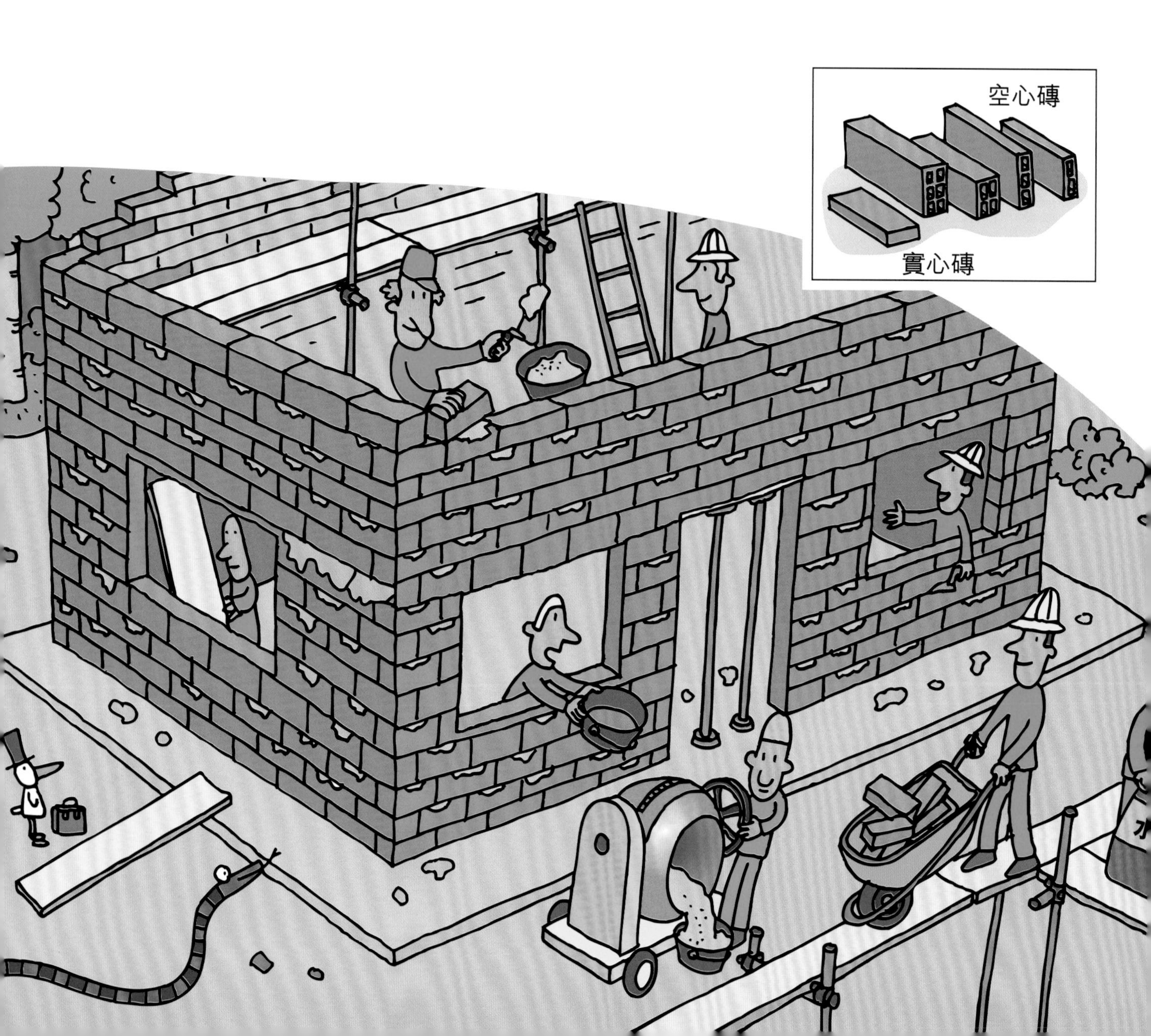

當建築工人把外牆砌好後，房子從外面看起來便已經成型了……但其實還差得遠呢！因為建築工人還要砌內牆。

內牆能把房子分隔成不同房間；除此之外，還有樓板，用來區間開房屋的各個樓層。

仔細看看上面右圖，你會發現原來這層樓的天花板就是上一層樓的地板呢！

貓頭鷹告訴你

製作一塊磚，需要用水和好的黏土，再配合充足的日曬。你也可以試試製作啊！如果磚很容易碎掉怎麼辦？那就說明你沒有把黏土壓緊。工廠是用特殊的模具來壓製磚塊的，然後再將磚塊放入溫度很高的爐子裏燒製。

現在只剩下屋頂了。屋頂在房屋的最上面，就像給房屋戴上一頂帽子：冬天時抵禦寒冷，夏天時遮蔽酷暑。

上圖中的屋頂是一種傾斜的木質結構，上面有瓦片覆蓋，瓦片通常是由陶土燒製而成的，形狀有扁平的和拱形的（這種瓦片叫拱瓦）。從天而降的雨水順着屋頂滑落，積聚在簷溝內，然後從金屬的排水管流到地面。

現在，建築工人可以暫時離開工地，由水電工人來接手了。

水電工人可細分為水工和電工。水工為房屋安裝水管，水從其中流過，然後從水龍頭裏出來，再通過下水道被排放出去。電工則要為房屋鋪設電線、插座和開關……如此一來，你就可以在家裏方便地開、關電燈，和使用不同的電器了。另外，在天氣寒冷的國家，人們的房屋還不能缺少供暖設備。它需要電工和水工一起來安裝，冬天通過暖氣片，就能讓屋裏温暖如春。

貓頭鷹告訴你

瓦片是一樣非常古老的發明。古羅馬人將瓦片打造成各種形狀，用奇特的圖案來美化它們，常常會把屋頂變成藝術作品。他們還會在瓦片和屋頂的邊緣加上奇特的裝飾，如笑臉和動物的形象等。

待建築工人往牆上刷上一層灰泥後，他們的工作才算完成。然後，輪到鋪地板技工在廚房和浴室鋪設瓷磚，在其他房間鋪設木質地板。油漆技工是與內牆打交道的工人：你會喜歡給牆壁刷油漆還是貼牆紙呢？最後，木匠或安裝窗戶的技工會在建築工人事先留下的開口處裝上門和窗。這下，房子就做好了！之後，住進去的人還會在屋子裏放置家具、掛上窗簾、鋪上地毯……就是為了把房子變成一個很舒適的安樂窩。

貓頭鷹告訴你

世界上有很多有趣的房屋，比如：冰屋就是一座全部用冰搭建的房屋；水上棚屋則是由被浸在河水裏高高的樁子支撐着。

你看，這兒有好多房子呢！摩天大廈是一種非常高的房屋，在裏面可以住好多人，大廈一座一座像戰士一樣排列整齊。還有相連別墅，裏面可以住兩家人……那幢在山上的大房子是什麼呢？那是一棟大別墅。

現在就讓我們回顧一下建造房屋的重要環節吧！請你根據下面的圖畫說說看。

1 設計

2 建造地基

3 築起外牆

4 建屋頂

5 安裝水電和鋪設地板

6 進行室內裝潢

詞彙解釋

挖土機　一種帶有大型鏟子的機器，鏟子由一個機械手臂操控。用這種機器可以挖出很深很深的坑。

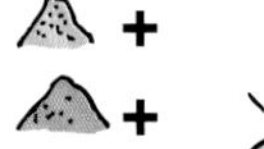

混凝土　將水泥、沙子和碎石混在一起，用水調和後的產物，是一種常見的建築材料。

泥　刀　一種與鏟刀很像的工具。形狀為三角形，有一個彎曲的短把手。

暖氣片　由很多管道組成的設備，這些管道內能通熱水，讓室內保持温暖。

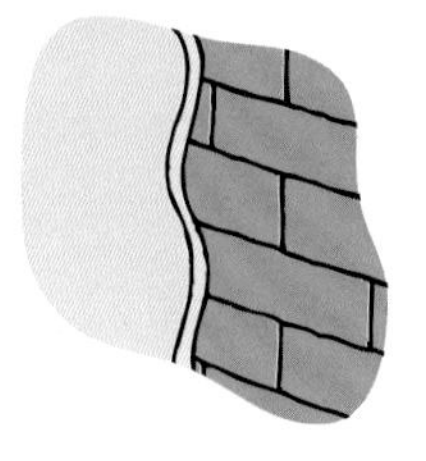

灰　泥　由水泥、沙子和水混合而成，在內牆上刷上薄薄的一層來遮蓋磚牆，讓內牆變得平滑。

牆　紙　它的表面帶有圖案或刺繡，是專門用來遮蓋和美化牆壁的材料。

鐘錶

試想像自己成為一個原始人：住在山洞裏，整天去打獵。你的周圍危機四伏，還好你手握武器，身形強壯。唯一讓你害怕的事情是在森林裏過夜，可你怎樣才能知道黑暗即將降臨呢？你可以看什麼呢？當然是太陽！當你看到太陽要下山時，就趕緊跑回山洞。沒錯，人類最早的時鐘就是太陽！但是，隨着時間的流逝，人們不再滿足於只把一天分成白天和黑夜，於是就發明了小時、分鐘和計時的工具——那正是鐘錶！

當然，這一切並不是在短時間內發生的，而是用了很多很多年。讓我們一起看看是怎麼回事吧！

如果你在地上插一根小棒子，你會看到它的影子在白天不停地移動，每一刻都不盡相同：從黎明到正午，影子越來越短，直至消失，然後又慢慢變長，直至日落。

通過觀察這一現象，人類發明了一種太陽鐘，名叫日晷（粵音軌）。直到今天，你仍能在某些城市的古老建築的外牆上看到一些美麗的日晷。這種太陽鐘非常精準，卻有很大的局限性。什麼局限性呢？請你試着在晚上或是陰天從日晷上看時間……這是不可能的任務！因此，為了在沒有太陽的時候也能計時，古人發明了其他時鐘。

有些計時工具，如沙漏，是可以重複使用的；而另一些，如帶刻度的蠟燭和油燈，則會隨着使用而消耗。這些計時工具都是精妙的發明，但是都需要有人定時翻轉沙漏，或是替換消耗殆盡的蠟燭，才能持續計時。要是有一個能自行計時的工具，那該多好啊！

貓頭鷹告訴你

從前，水手們會通過觀察星星來分辨時間。要知道，星空也是不停在變化的，因為星星們和太陽一樣，也會升起和落下。

後來，中國人製造出第一個機械鐘。那是一台塔形的機器，能演示太陽、月亮和星星的移動，還能自動發聲報時。

而歐洲人則發明了一種用來提醒負責打鐘的教會會士的機械裝置，再由打鐘的會士敲鐘來報時。從這種機械裝置衍生出來的大鐘，至今還能在歐洲的鐘樓和高塔上看到。

鐘樓上的大鐘是由巨大的齒輪驅動的，而齒輪則在秤砣的重力下轉動。隨後，鐘錶匠，也就是製造鐘錶的人，爭相將時鐘打造得越來越小。這個鐘錶匠製造出掛在牆上的鐘，那個就研發出座枱式時鐘……不過，你應該知道這場競賽並沒有到此為止吧！

掛牆鐘　　座枱鐘

貓頭鷹告訴你

一個寒冷的冬天，在德國黑森林的一個小鎮裏，幾個工匠製造出了一台咕咕鐘。每次敲鐘的時候，一個小窗會打開，從裏面彈出一隻木質的小鳥。咕咕鐘裏面還有一個特製的哨笛，能模仿小鳥的叫聲。

事實上，後來人們製造出了一種小到能放入口袋的鐘！或許這對你來說很普通，但在幾百年前，那可真是一件不可思議的事！

自此，懷錶流行了好多年，直到手錶的出現。

手錶真是偉大的發明！你現在應該知道我們終於來到了我們現今的時代。我們很多人都擁有手錶，生活中更不能缺少了它。然而，手錶是如何運作的呢？裏面又有些什麼？

要用三言兩語來解釋手錶內的零件非常困難。請你細心觀察下圖，你看到手錶裏面有多少零件了嗎？從外面可看不出有那麼複雜啊！

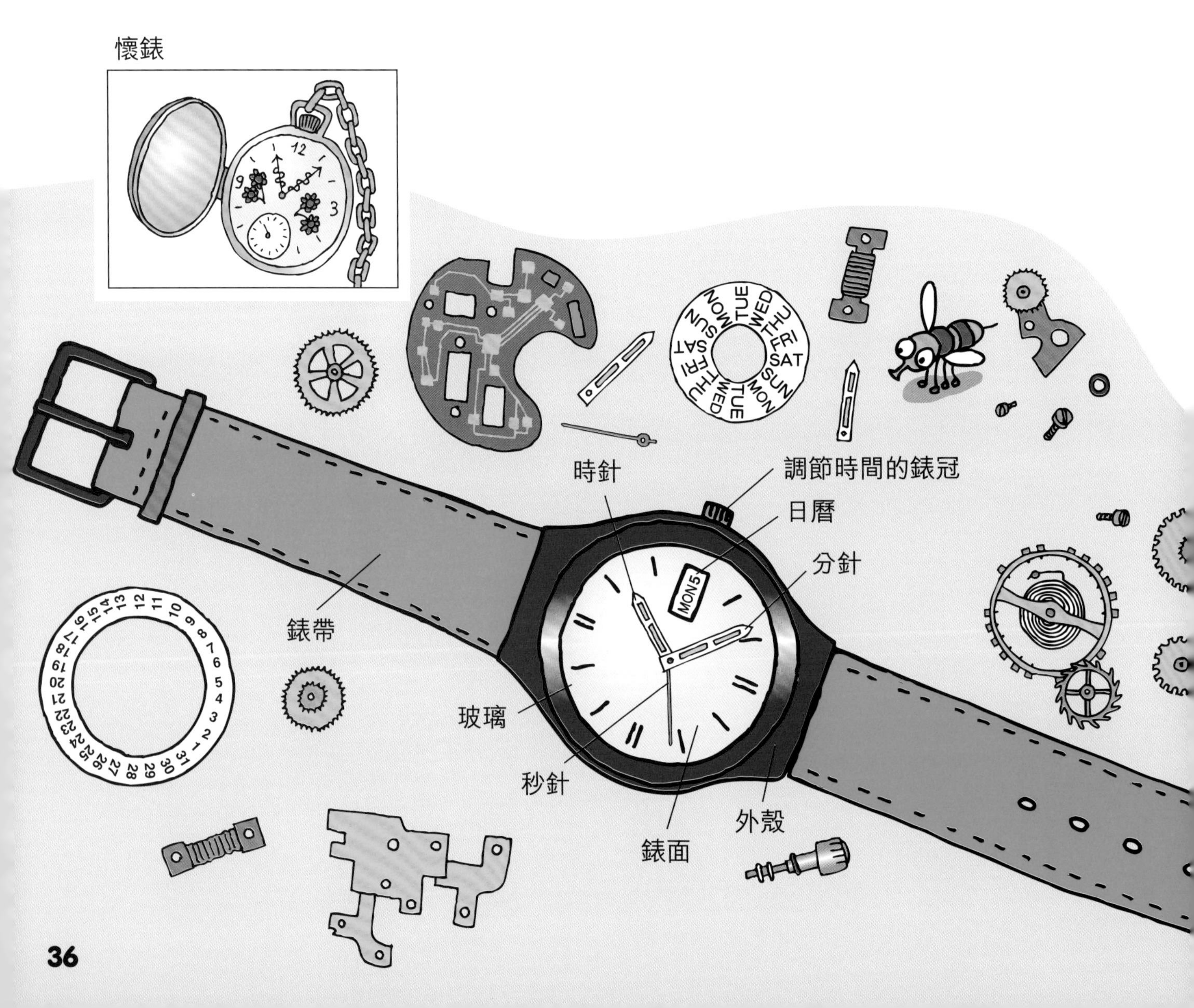

有些手錶是機械式的，由發條來驅動；有些依靠電池的電能運作；還有一些則通過吸收太陽能來運行。

你想去手錶工廠參觀一下嗎？那就讓我們坐上火車，到素有「鐘錶王國」之稱的瑞士去看看吧。在那裏我們能看到鐘錶技師，他們使用特製的顯微鏡來製造手錶，因為安裝在手錶內的零件實在太細小了，有些甚至小得肉眼難以看到！

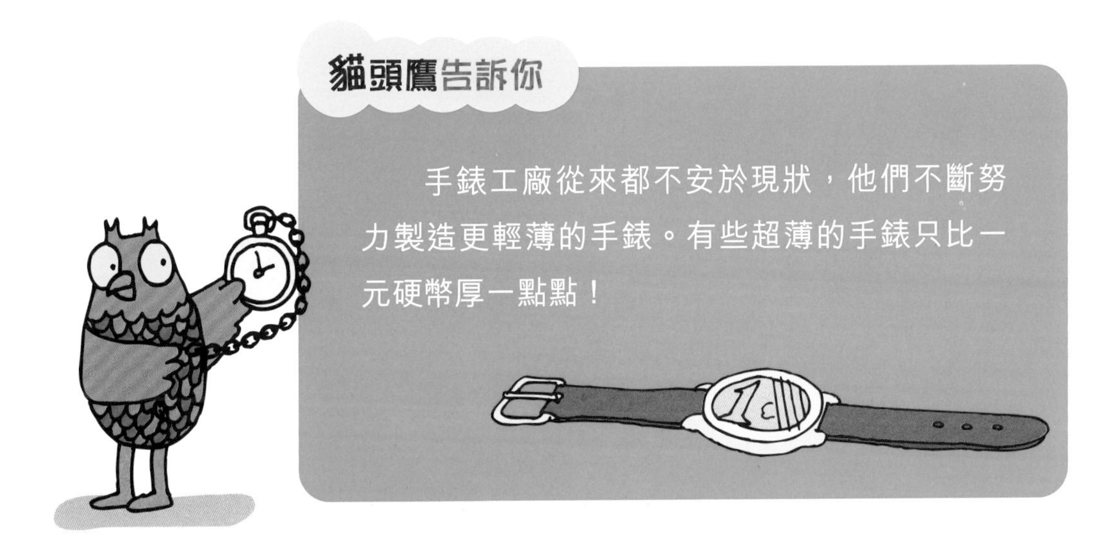

貓頭鷹告訴你

手錶工廠從來都不安於現狀，他們不斷努力製造更輕薄的手錶。有些超薄的手錶只比一元硬幣厚一點點！

瞧，這裏有家賣手錶的商店，我們去看看吧。這裏的手錶有好多形狀，好多顏色呀！有的錶面有刻度，有的是數字式的；有些錶帶是金屬的，有些是皮革或塑膠的。這幾隻是潛水錶，水不會輕易跑進手錶裏。有些手錶只能指明時間，有些則可以顯示日子和星期。不止這些，有的手錶還能在你指定的時間叫醒你，能儲存很多電話號碼，會數學運算，甚至可以為跑步計時。

體積如此細小，功能卻如此強大，真是不可思議！

那麼，一隻手錶能用多久呢？如果你悉心保護它的話，一隻手錶也許可以用一輩子啊！不過，有時它也會出毛病；但是不用怕，只要把壞了的手錶交給鐘錶匠，他會為你修理好的。你有到過鐘錶匠的工作室或售賣鐘錶的地方嗎？那裏沒有片刻的安靜，因為所有鐘錶都不停歇地發出「滴答」聲，好像大家齊聲說話一樣！

貓頭鷹告訴你

隨着原子能的發現，原子鐘問世了，它是世界上行走得最精確的鐘，據說能做到每一百五十億年才會出現一秒的誤差！原子鐘的體積龐大，通常在特殊的場合才會用到它，比如要借助它來調整人造衛星的軌道。

現在就讓我們回顧一下鐘錶誕生和應用的重要歷程吧！

1 當有太陽的時候，古人會用日晷來計算時間。

2 沒有太陽的時候，就會用沙漏或帶刻度的蠟燭和油燈來計時。

3 人們發明了特別的機械裝置，提醒打鐘的會士敲鐘報時。

4 有了鐘樓，所有人都能知道時間了。

5 鐘錶匠們不斷探索如何製造出體積更細小的鐘。

6 後來便發明了我們今天能夠佩戴在手腕上的手錶。

詞彙解釋

機械 靠齒輪、發條或操縱桿運作的裝置。

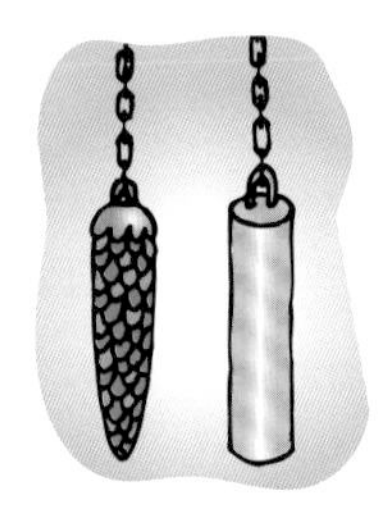

秤砣 由重金屬製成，通常是松果形或圓柱形，被懸掛在繩索或是鍊條上。利用它們的重力，能讓時鐘裏的齒輪轉動起來。

電池 能儲備電能的特殊裝置。它能讓手錶裏的馬達工作很久。

顯微鏡 能讓人們看到極其細小的東西的儀器。

潛水錶 潛水錶的防水性能要比一般防水手錶高，還要能承受強大的水壓，和備有便於在黑暗的海底中讀取時刻的夜光指針和刻度。

計時 計算完成一個動作所需要的時間。要看賽跑中誰跑得更快，就要為參賽者計時。

書籍

今天，小女孩積西嘉和爸爸去了一家很大的書店，她驚訝地看到書架上有很多書：幾百本各種類型、各種風格的書，書本有大有小，有的密密麻麻寫滿字，有的印了好多彩色的圖片，有的書打開會有驚喜，有的書裏藏着歷史上的大人物……積西嘉在兒童圖書專櫃前徘徊許久，她拿出好幾本，看了看封面，又翻閱了一下，最後選了一本關於龍的有趣的書。

可是，書是從哪裏來的呢？古時候也有那麼多書嗎？如果你也對這些問題很好奇，那麼就請繼續閱讀這本書吧……

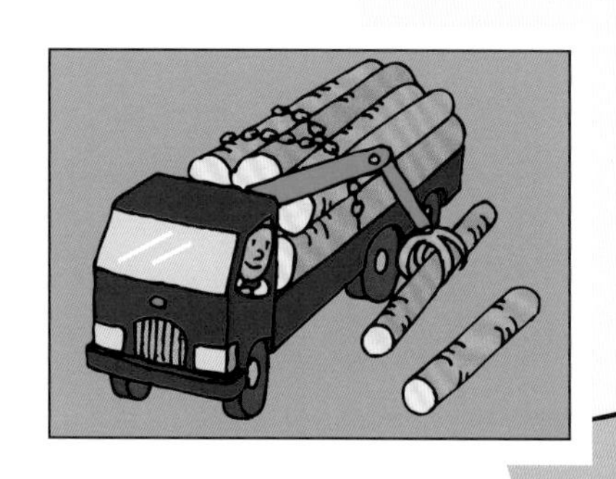

正如你所知道的那樣，書籍是用紙張製成的。但是很久以前，還沒有紙的時候，人們會使用不同的材料來留下自己的故事，比如：石頭、蠟板、紙莎草、羊皮紙（即經過處理的動物皮，除小羊皮以外，有時也用小牛皮來做）。

現在，我們使用的是從木漿中提取的紙張，木漿是用樹幹製成的。樹幹被運到造紙廠，也就是生產紙的工廠裏。在這裏，切成塊狀的樹幹會被碾成碎末，倒入大缸裏，然後往大缸裏加水，形成一種糊狀物，這正是木漿。隨後，木漿被放到輸送帶上，被輸送帶吸乾水分並壓成薄片，就像廚師在廚房裏製作的麪片。待紙晾乾後，再將它捲成一綑綑大紙卷。

紙張出現之後，書籍的數量大大地增加了，沒人知道現在全世界有幾萬億本書。不過，請你切記：紙用得越多，遭到破壞的森林也越多。

貓頭鷹告訴你

大約二千年前，中國人發明了紙。你知道最早的紙是用什麼做的嗎？是用桑樹皮或竹子等植物做的，它們經過碾壓、蒸煮、切細等工序，然後放在太陽底下曬乾而成。過了很久，阿拉伯人才開始用布料和膠水製作紙張！

有一些人很喜歡給大人或小孩寫故事，這些人就是作家。

當一位作家寫完一個故事，通常會把故事寄給一家出版社，也就是把故事變成書的地方。在出版社裏工作的有編輯和他們的上司——總編輯。

貓頭鷹告訴你

你知道嗎？世界上有很多不同的文字。你要是去周遊世界，會發現很多用不同的文字書寫的圖書。除了我們常見的中文和英文，你也許還會看到印度文、泰文、德文、意大利文……它們有些看起來跟英文相似，有些卻很獨特。

編輯們讀完故事後，大家會談一下自己的看法：這個故事很有趣，大家會喜歡；或者故事有點無聊、篇幅過長了……

如果編輯們喜歡這個故事，出版社就會把它印成書，然後推廣到全世界，這樣便有更多人能讀到這個故事，並且喜歡這個故事。

不過，編輯們可是很挑剔的，他們要求故事既有趣又完整，能引起讀者興趣，主動閱讀。於是，他們要對故事的文字進行加工：為了讓文字更吸引人，他們會修改或去掉一些詞句。他們還要非常小心，不能讓錯誤出現在書中，任何一個錯誤對編輯來說都是一次沉重的打擊！

在某些書，尤其是寫給小朋友的書裏，編輯們要為文字配上圖畫。於是，他們會選擇插畫家為圖書繪製插畫。

你知道嗎？世界上有很多插畫家，他們每個人都有屬於自己的獨特繪畫風格。

插畫家會根據編輯的要求來作畫，有時候他們也會按照自己的想像來創作插畫。當插畫都完成後，另一個人便會來參與圖書的製作——他就是平面設計師。平面設計師將插畫和文字輸入電腦，然後對所有頁面和封面進行編排設計。封面是一本書的身份證，它告訴我們書的名稱，還能讓我們知道這本書是誰寫的、誰為它畫插畫、它由哪些公司印刷出版。

平面設計師完成書的編排設計後，會用列印機將書中所有的頁面都列印出來交給編輯。

這個時候，編輯便要再次對全書的圖片和文字進行審核和校對。有時，他們還會再做一些小的更改，這正是他們的工作。

當編輯完成最後一次修改後，平面設計師便會將整本書的內容從電腦複製到光碟上送到印刷廠，或通過互聯網把檔案直接傳送給他們。

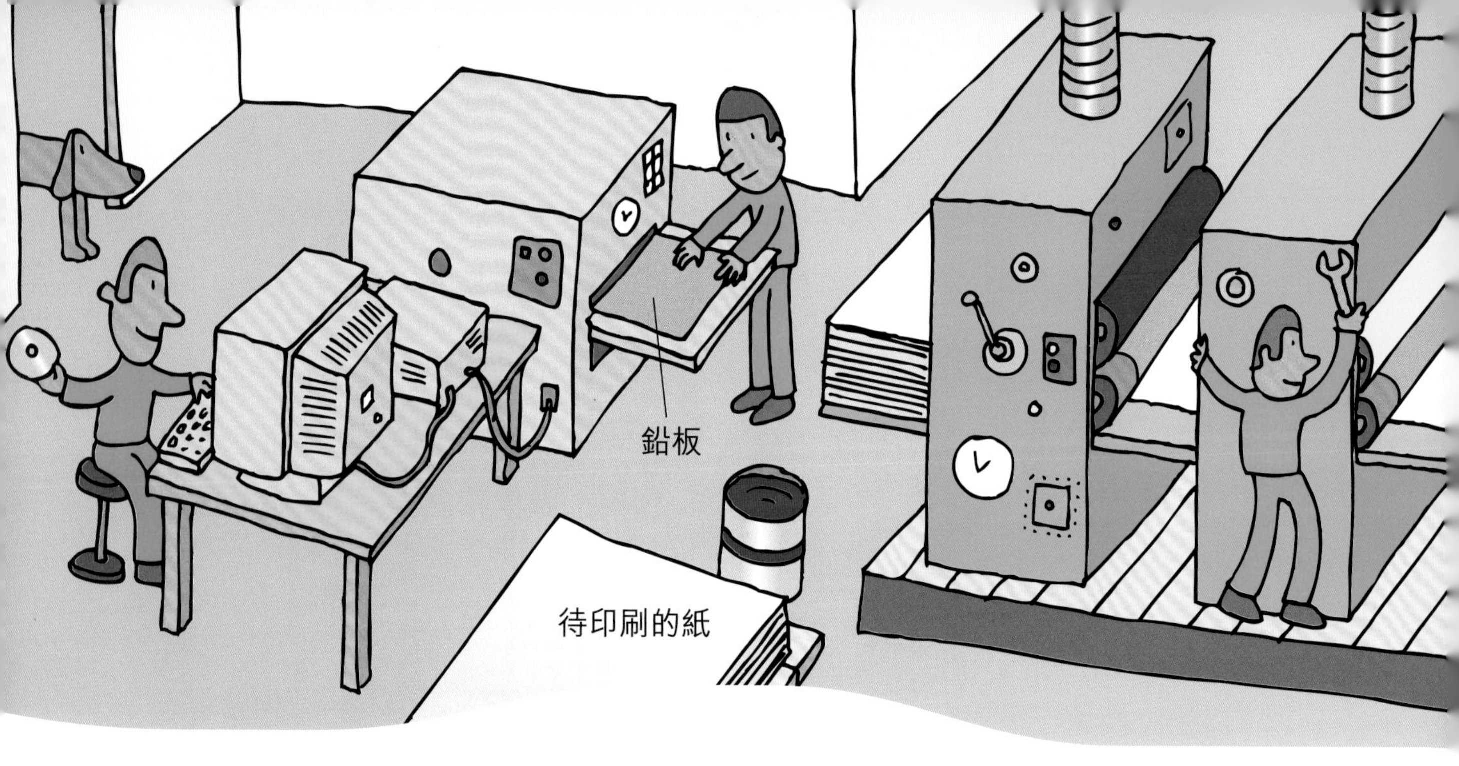

印刷工人根據檔案內容製作鉛板，然後將鉛板放入印刷機內，在鉛板上覆上油墨，這樣就能在紙上印出文字和圖片了。印刷機的速度非常快，每分鐘能印刷好多張紙呢！所有紙張都正反面印刷完後，再裁紙、摺頁，然後裝訂。終於，一本書便製作完成了！這是多麼奇妙的一刻！

接着，它便會進入書店、書報攤、圖書館和學校，與讀者們見面。

貓頭鷹告訴你

曾經，書籍是由一些專業又耐心的人用手抄寫而成的。幸好在大約五百多年前，鉛字印刷術問世，只要在排列好的鉛字字粒上蓋上油墨，便能把文字複印到紙上。這項發明的出現，使人們可以一次印刷很多本書，因此書籍的數量便能大大增加。

一本書的命運取決於讀者：由讀者判斷它是一本好書還是一本無聊的書；是要把它帶回家，還是留在書架上。有些書獲得了極大的成功，儘管寫作於很久以前，但至今大家仍在閱讀，而且不斷被重印。你能說出幾本這樣的書嗎？

現在就讓我們回顧一下書籍誕生的重要環節吧！請你根據下面的圖畫說說看。

3
書店
5
印刷廠
熊寶寶
6

詞彙解釋

紙莎草 一種能製作成用來寫字的紙的植物。為了製作一張紙，需要用很多紙莎草的莖，把它們去皮、削薄、泡水，然後再緊密地排放在一起，用重物壓緊而成。

輸送帶 一個設有可以移動的平台的機器，能使放在上面的各種物品向前移動。

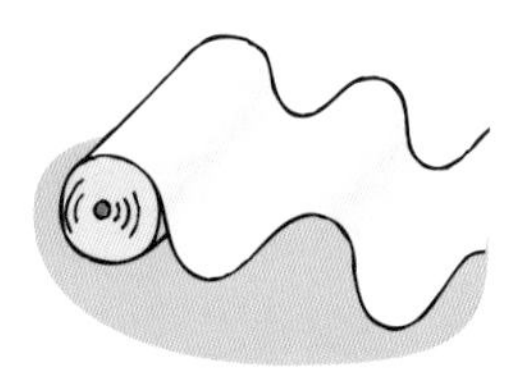

紙卷 很長很長的捲起來的紙。

平面設計師 設計書籍頁面、宣傳海報、平面廣告、請柬、產品商標等內容的人，他們大多使用電腦來做設計。

光碟 能記錄文字、圖片和聲音的圓形薄片，需要配合電腦和光碟機才能開啟裏面的內容。

裝訂 把一本書的封面和所有書頁順序疊起釘裝成書。

火車

大約二百年前，有一個名叫喬治．史蒂芬森的英國男孩，他在一個煤礦上修理大型的蒸汽機。後來，他成為了工程師，在煤礦上工作的這段經歷讓他萌生了發明蒸汽火車的念頭：那是一節不需要馬匹拉動的車廂，它能在鐵軌上運行，還能拉動裝載貨物和人的車廂。後來，喬治把想法變成了現實，並獲得了極大的成功。

火車就此誕生了，這是一列與眾不同的車。從高處看，火車就像是一條長長的蛇，或是一條噴着煙和火的龍。

你想知道後來發生了什麼事嗎？那就趕快上車吧，我們的旅程要開始了！

最早出現的火車速度非常慢，它是靠蒸汽運行的，而且只運送貨物。但很快人們就希望能利用火車出行，因為當時人們出門還是只能靠走路或坐馬車。

在蒸汽火車裏，火車司機燃燒煤炭來加熱鍋爐裏的水。當水沸騰的時候，蒸汽的力量能驅動汽缸，汽缸通過活塞和搖桿與驅動輪連接。美國製造的蒸汽火車還會有一個哨笛和一個鈴鐺，用來通報火車的到達或嚇唬在鐵軌上吃草的動物。有些火車前部更配備了一個名為排障器的裝置。

半個多世紀前，蒸汽火車的地位被柴油火車代替了，與貨車引擎相似的裝置代替了蒸汽火車的煤炭和鍋爐。柴油火車的機械結構看起來很複雜，但其實更簡便：引擎燃燒柴油，給發電機提供能量。發電機產生的電能通過幾個較小的引擎推動車輪轉動。而比柴油火車速度更快的是電力火車，它依靠架空電纜或安裝在鐵軌上的第三軌提供的電流運行。

貓頭鷹告訴你

火車是陸地上最快的交通工具，最新研發的火車時速已經超過每小時六百公里。不過在一般支線鐵路上行駛的依然是時速不超過五十公里的小火車。

火車在路軌上行駛，鐵路是一條長長的由金屬和木頭鋪成的路，全世界的鐵路總長度超過一百萬公里，也就是香港島橫向長度的六萬八千多倍。火車的車輪在軌道上滾動，軌道是由鐵或鋼材鋪成的平行線路，由軌枕連接。當一列火車要改換鐵軌的時候，就要用到道岔。它以前是由鐵路工人扳動槓桿來操縱，如今則改用特殊裝置，以電腦遠距離操控。

此外，有些火車能在單軌道上，甚至在高架鐵軌上懸空行駛。比如先進的磁浮列車，強大的磁鐵能讓它在特殊的軌道上奔馳。

和汽車在公路上行駛一樣，火車在路軌上行駛也必須遵守限速、信號燈、路標，和指示火車司機完成操作的通知，如：減速或讓其他列車先行。如今，所有指示都是由電腦控制的。當火車橫過馬路的時候，平交道口就會作出配合。鈴聲、閃爍的紅燈和放下的欄木一起提醒汽車、摩托車、自行車和行人必須停下。當火車駛過道口，欄木升起之後，交通才能恢復正常。

貓頭鷹告訴你

世界上最長的鐵路有九千多公里長，名叫西伯利亞大鐵路，它連接着俄羅斯首都莫斯科和符拉迪沃斯托克。坐火車完成整個行程需要大約一周時間。

許多城市都有有軌電車，這是一種小型的電力火車，它有一個金屬臂，名叫集電弓。有軌電車在設於道路的軌道上行駛，它們有些可以是無人駕駛的，因為有電腦遠距離操控它們。

幾乎所有大城市都有地下軌道，它們構成了發達的地鐵網絡。地鐵是一種快速火車，它能讓人們從城市的這頭快速地來到城市的那頭，還不用忍受堵車的苦惱。

火車還可以在海底隧道裏穿行，像是法國和英國之間的英吉利海峽隧道及連接丹麥和瑞典的水下隧道。

火車還能在大型的鐵橋或鋼橋上通行，甚至能爬上山坡。上山的火車需行駛在齒軌鐵路上；不過如果斜坡太陡的話，就要用由蒸汽機或電力引擎驅動的鋼索來拖動火車在軌道上運行。

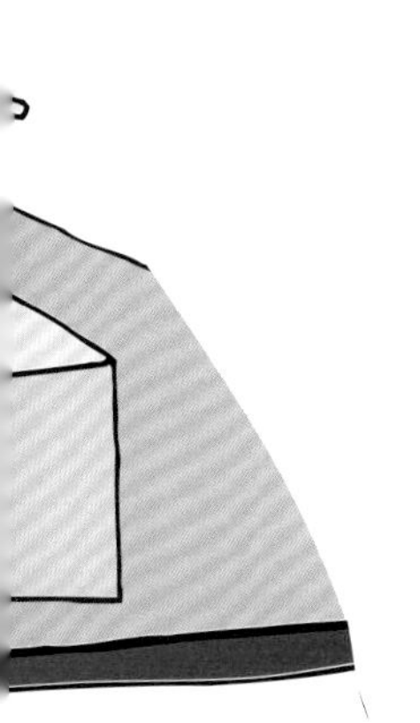

在印度的喜馬拉雅山上，有一條海拔超過二千米的鐵路，而南美的安第斯山脈上，更有一條海拔高達四千八百米的鐵路。在那麼高海拔的地區行駛，火車上都會為乘客配備氧氣瓶，以防他們出現呼吸困難等高山反應。

那麼，想要乘坐火車，需要做些什麼呢？

首先，要選好目的地！你可以參考地圖，或閉起眼睛想像一下自己喜歡去哪裏。當你定好目的地後，就可以查詢鐵路時刻表了。從前人們都要在一本寫着每一列火車的出發時刻和行駛路線的大書裏查找，現在大家都可以在網上搜尋了。接着，你便可以在網上買火車票，或是親身到火車站購買。

當火車站的揚聲器開始廣播，請你走到你要乘坐的列車所停靠的月台，並在那裏上車。找到自己的車廂隔間，然後把行李和背包放在行李架上。現在，你就等着火車站站長吹響他的哨子吧。哨子一響，火車就出發了，冒險之旅正式展開！

貓頭鷹告訴你

要數世上最著名的豪華列車，不得不提東方快車。在將近一百年的時間裏，這列配備了酒吧、餐車和卧鋪的火車穿梭於巴黎和伊斯坦堡之間，還給不少偵探小說提供了創作靈感。

你可以舒服地坐在車廂裏與旅伴聊聊天，也可以看一會報紙或書。如果你「人有三急」怎麼辦？放心，火車上還有洗手間呢！你能透過車窗觀賞沿途的美景，窗外的景色就像電影院裏的銀幕畫面一樣，不停轉換。如果旅程比較漫長，你還可以在餐車裏吃飯；而當夜色降臨的時候，你可以把座椅調節成一張舒適的小牀，並在上面睡覺。一覺醒來，目的地就到了。拿好你的行李，下車吧！

現在就讓我們回顧一下火車誕生的重要環節吧！

1 最早的火車是依靠蒸汽發動的……

2 而現在的火車使用的是柴油或電力引擎。

3 火車在鐵路的軌道上行駛。

4 當一列火車經過的時候，平交道口會攔停汽車和行人。

5 地鐵是一種在地下行駛的快速火車。

6 各種列車都是從車站出發的。

詞彙解釋

驅動輪

火車上最大、最重要的輪子，因為它們能帶動整列火車運行。

排障器

安裝在火車頭前部的鐵製裝置，它能清除鐵軌上的障礙物。

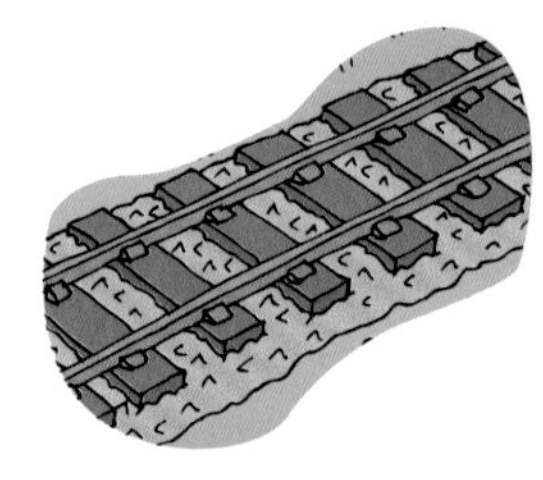

軌枕

又稱枕木或路枕，可由木、混凝土、玻璃纖維或塑膠製成。軌枕與路軌底部連接，能穩定路軌位置，防止列車駛過時移位引致危險，並有助列車行駛得更穩定。

平交道口

是指鐵路和道路在同一平面上互相交叉的位置。當鐵路與道路交叉時，若道路交通量不大或不適合建設高架橋和隧道，便須設有平交道口，以便行人或其他車輛過路。

集電弓

能從供電網的電線上獲取電流的金屬臂。

齒軌鐵路

是一種登山鐵路。一般鐵路只可攀爬低坡度的斜坡，但齒軌鐵路在普通路軌中間的軌枕上，加放了一條特別的齒軌，列車另配備一個或多個齒輪，跟齒軌嚙合着行走，使之能走上陡峭的斜坡。

汽車

在1769年的某天早晨，尼古拉斯．屈尼奧先生離開家門，出發到城裏去。他的馬兒循例靠近主人，讓他騎到自己的背上。可是，那天早晨，屈尼奧先生卻笑着對牠說：「今天，你就留在這兒吃草吧！」隨後，他走進車庫，不一會兒，就坐在一輛奇怪的車子上出來了，車上安裝着他自己發明的引擎。啟動引擎後，車子便轟隆隆地向城裏開去。

後來，這台由尼古拉斯．屈尼奧發明的結構複雜的怪機器，被人們視為世上第一輛汽車。

不過，其實經歷了許多年、出現了許多發明之後，我們所熟悉的汽車才真正問世。一起來了解一下吧！

早期的汽車長得可真滑稽！看起來就像沒有馬匹的馬車，因為它們的形狀和輪子都與馬車一樣。唯一不同的地方是它們不用馬匹拉，而是靠引擎驅動。這種早期的汽車開得非常非常慢，引擎也很容易壞。汽車製造者們不斷努力將汽車打造得更舒適、安全和快捷。

你看上面的圖畫，隨着時間的推移，汽車是如何變化的呀……真不可思議呢！

貓頭鷹告訴你

人類一向熱衷於賽跑，而隨着汽車的問世，產生了一項新的比賽項目。人們製造出一級方程式賽車，讓它們在賽道上疾馳比拼。它們很輕，外形設計符合空氣動力學，並且擁有強大的引擎。這些賽車的時速可以超過三百公里！

　　時至今日，我們有了各種各樣的汽車。從兩人跑車到可以容納乘客和行李的大空間家用車；從舒適的多用途汽車到開篷車。還有一些特種車輛，如裝有警報器、開得飛快的警車，另外還有消防車和救護車等。

一輛汽車大約由一萬個零件組成！要把它們一一列出嗎？還是算了吧，能認識那些最重要的部分就很不錯了。那我們就從引擎開始吧！

引擎是汽車的心臟，因為是它讓汽車開動起來。汽車的引擎基本上都屬於內燃機，它需要燃料才能工作。你知道內燃機這個名詞是怎麼來的嗎？因為當汽車在行駛的過程中，燃料會在引擎的汽缸內爆燃，以推動活塞上下運動；然後，活塞帶動一系列的機械裝置運轉起來，而這些機械裝置又帶動車輪滾動。

要使車輪停下或減速，我們需要剎車系統；要使車輪向右或向左轉彎，則需要方向盤。另外，汽車裏還有減震器，能減弱由於路面不平而導致的顛簸，以及安裝了能在夜間照亮馬路的車燈。

汽車所有的零件都裝在鋼板製成的車身內，車身的形狀同時定義了車型。此外，還要給車身裝上車門、保險桿、座椅、儀表盤和所有其他配件。

貓頭鷹告訴你

從汽車的排氣管裏排出的氣體是有毒的，會污染空氣。有些引擎，比如電力引擎，並不會造成污染，但至今仍未全面普及。科學家們一直在研發越來越環保的引擎和燃料。

當一家汽車工廠決定生產一款新型車輛時，一些設計師就要研究它該有怎樣的外形。他們會先用紙筆或電腦把汽車的外形繪畫出來，然後根據圖樣製造一輛與實物大小相同的模型車。另一些設計師則要決定這款新車的引擎該有什麼特性。一旦外形和引擎設計好後，就會製造幾輛樣車，也就是最初的汽車樣品。

質檢人員會駕駛樣車，進行長途的試駕，只有這樣才能知道新車是否性能良好。通過路試後，新車才能投入生產。生產環節的第一步是利用巨型的壓合機切割出車身鋼板上的部件，包括：側面、車門、車頂和引擎蓋等。隨後，再由機器將所有部件焊接在一起。

貓頭鷹告訴你

為了檢測一輛汽車的安全性，質檢人員必須對汽車進行「撞擊測試」。那就是安排幾個人體模型，佩戴好安全帶坐在車內，然後製造一場假的交通事故。如果在事故的撞擊中，「安全氣囊」——用來保護乘客的、可膨脹的墊子起到了作用，同時駕駛室未有受損，那麼這輛汽車就是安全的！

當所有的部件都安裝完畢後，就要把車身浸在防鏽漆裏，然後再給它們洗一次美妙的色彩浴！

這還沒完啊，為了烘烤油漆，使顏色更穩固，車身還要到烤箱裏走一趟呢！

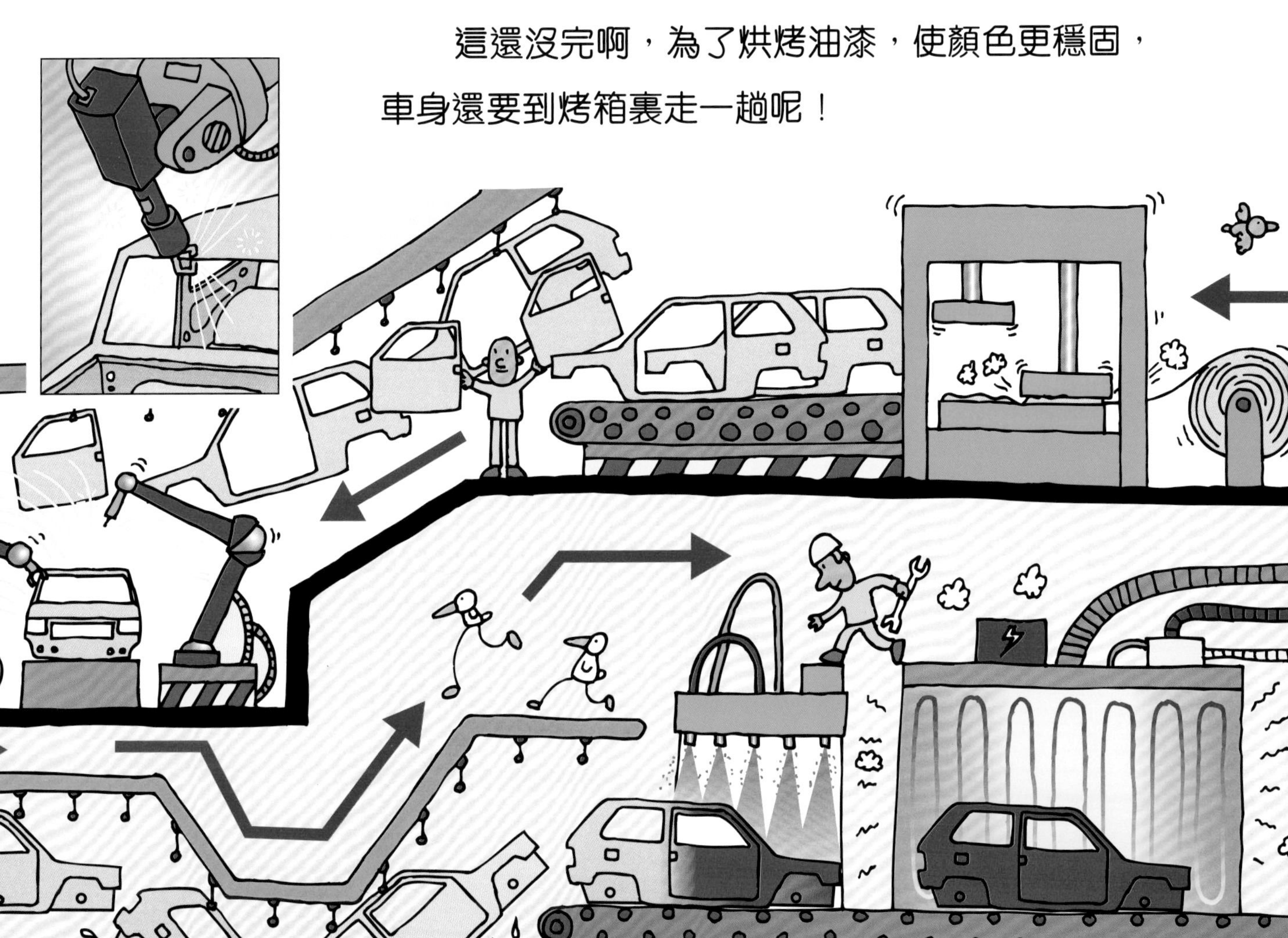

就這樣車身便完成了，看起來就像一個閃閃發亮的金屬盒子！現在便要在車身內部裝上所有能讓它變身成為一輛迅捷汽車的零件，包括：引擎、車輪、剎車腳踏、方向盤、電纜、車燈等。此外，還有不會影響汽車運轉，但能讓汽車更舒適和美觀的配件。有哪些呢？比如座椅、空調，還有音響設備。汽車在這生產環節中，會被放在一條輸送帶上緩慢前行，經過無數工人們專業的手為它加工。

貓頭鷹告訴你

在汽車的一生中，需要很多的照顧。當它「口渴」的時候，要去加油站；當它需要更換「鞋子」的時候，便要車主自行或找技工替換輪胎；當它「生病」或「碰傷」的時候，便要去汽車修理廠，找汽車維修技工。

每位工人都要精準地完成自己的工作，給汽車加上不同的零件。經過裝配線，這個製作流程的最後一步，汽車便完成了！現在可以把汽車擺放到陳列室裏出售了。

現在就讓我們回顧一下汽車誕生的重要環節吧！

請你根據下面的圖畫說說看。

樣品
汽車陳列室
70
大減價

詞彙解釋

燃料

汽車常見的燃料是汽油和柴油。這些液體燃料與空氣混合後會產生爆炸性氣體，從而推動內燃機運轉。

剎車系統

這系統能使行駛中的汽車減速甚至停車，使下坡行駛的汽車速度保持穩定，以及使已停駛的汽車保持不動。

質檢人員

執行檢驗的人員，他們要對汽車進行試駕來檢驗它是否能正常運行。

焊接

用一個叫做電焊機的設備將金屬部件連接在一起。

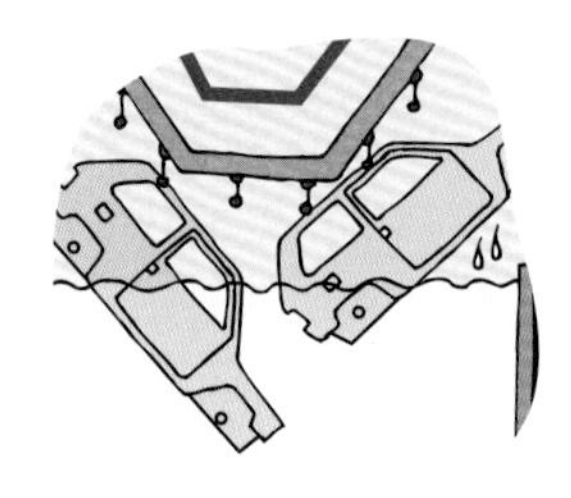

防鏽漆

一種特殊的油漆，能保護鐵製品，防止潮濕的空氣把它變成一種深棕色的物質，也就是鐵鏽。

裝配線

是指由一些物料搬運設備，如輸送帶，連接起來的連續生產線，當中每一個生產單位只專注處理某一部分的工作。

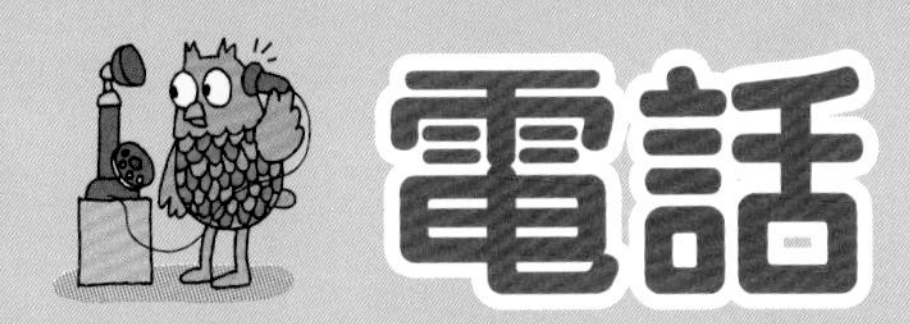

電話

今天科斯坦薩有點難過，因為她的爸爸要工作，不在她身邊。今晚，她不能擁抱爸爸，也不能和他一起玩遊戲……不過，她仍然可以聽到爸爸清晰有力的聲音，媽媽說電話一會兒就會響。雖然科斯坦薩已經等得有點不耐煩了，但她還是感到很幸福，因為她知道即使遙遙相隔，爸爸還是能給她講睡前故事。通過話筒，可以聽到遠在千里的人的聲音，真是神奇又方便啊！

究竟電話是怎麼誕生的？它的原理又是什麼呢？翻到下一頁，和科斯坦薩一起來認識一下吧！

世上第一部電話是由安東尼奧·梅烏奇於1860年發明的，這部電話只能在很近的距離內傳遞聲音。經過十幾年，到了1876年，格拉漢姆·貝爾，一位美國科學家，對一個類似的裝置進行了改良。這個裝置由兩部分組成：一個傳送器和一個接收器，用一條電線將兩者連接。這裝置被稱為「通話電報」，因為它可以直接傳遞聲音，而不像當時已經存在的電報那樣只能夠傳遞書面信號。

短短幾年間，電話首先在美國，接着在歐洲普及起來。不過，那時打電話可不像今天這樣簡單和快捷。想要打電話給遠方的朋友，必須先接通最近的電話總機。

然後由電話總機的小姐，用插在特殊插座上的特製電線，與這位朋友所在的城市建立聯繫，隨後再接通這位朋友的電話。那時候，通過電話進行的交流根本沒有秘密可言！

貓頭鷹告訴你

電話的英文「telephone」這個詞是從何而來的呢？

這個詞由兩個希臘語詞根組成：「tele」的意思是遠距離，「phone」的意思是聲音。

後來發展至現代的電話，也維持是由兩部分組成：用來說話和聽聲音的電話聽筒，以及有數位鍵盤的座機。

如果要打電話，你需要做些什麼呢？首先，拿起電話聽筒，把它放在耳朵邊；在聽到撥號聲之後，就可以撥打電話號碼了，電話號碼能讓通訊網絡識別你想找的那個人。

然後，信號沿着線路飛奔到另一台電話上，電話鈴響了。如果有人接聽電話，那麼這通電話就成功打通了，你可以開始說話。

於是，你的聲音會進入電話聽筒，在那裏面有一個麥克風，將聲音的聲波轉換成能順着電話線路的電線傳輸的電信號，到達接收信號的那台電話那邊；電信號進入位於電話聽筒上方，即靠近耳朵那邊的揚聲器內，再被轉換回聲波。

之後，對方的聲音又會以同樣的方式從它的電話傳送到你的電話裏。總之，當你與朋友在電話上聊天的時候，電信號就在你們的設備之間、電話線的兩端，不停歇地、來來回回地奔跑。

貓頭鷹告訴你

在尚未有互聯網的年代，人們需要依靠一本叫「黃頁」的厚厚的書來尋找商業用的電話號碼。那是一本按照行業分類，記錄餐廳、商店、公司等電話、地址的通訊目錄。一如其名，這份目錄一般都是以黃色的紙張印刷出版的。

放在家裏或辦公室裏，接駁電話線使用的電話被稱作固網電話，它需與電信公司的電線網連接在一起。電信公司對所有來電進行排序，將來電轉接到電信公司，再由電信公司轉接到與之連接的接收電話機上。在電信公司的通訊網上，可以同時傳輸多條信號。

而另一種無線通話設備名叫手提電話，它的工作原理和小型的無線電收發機一樣。使用手提電話時，電信號會被加載於無線電波上，在不同的基站之間傳送。

這些基站也被稱作行動通訊基站或手機信號發射站，它們分為地面基站和衛星基站。有了這些基站，電信號就能在極短的時間內到達很遠很遠的地方。

貓頭鷹告訴你

手提電話不僅可以打電話或接電話，用這個小小的設備你還能收發資訊和圖片。現在人們普遍使用的智能電話還可以用來上網、看影片、拍照和視像通話呢！

電話是一種非常重要的通訊工具。如今，我們根本離不開它！在家中，用電話可以聯繫親人、傳遞消息，或在短時間內求得幫助；在辦公室裏，用電話可以與客戶對話、商討問題，還可以做很多其他的事。你能找到一個不需要用電話的人嗎？我看很難吧。其實通過電話線路，我們不僅可以傳輸語音資訊，還可以利用傳真機，發送手寫資料、圖紙和照片。傳真機是一個較大的電話機，它會從一條縫隙中把紙張吃進去，閱覽過紙張上的內容後，再從另一條縫隙中將紙張吐出來。資訊就這樣傳遞到另一台傳真機上，接收資訊的傳真機會將資訊列印在一張新的紙張上。

此外，利用數據機，我們可以通過電話線路在兩台或多台電腦之間建立聯繫，使這些電腦可以互相交換資料、檔案、圖片和聲音。同樣的原理也應用在互聯網上，一個由許多相互聯繫的電腦組成的龐大網絡。在互聯網上，你可以瀏覽網站、獲得很多資訊、聽你喜歡的音樂、觀賞美麗的圖片，或者純粹消遣。互聯網是如此之大，永遠都有看不完的東西！

貓頭鷹告訴你

通過電話線路傳送的還有電子郵件。你可以在自己的電腦上寫一封信，然後將它發送到朋友的電腦上。這樣寄信既不需要郵票，還能在極短的時間內送達。

現在就讓我們回顧一下電話誕生的重要環節吧！

❶ 世界上第一部電話是由梅烏奇在1860年發明的。

❷ 電話主要由兩部分組成：電話聽筒和座機。

❸ 電話可分為固網電話和手提電話。

CARO ORNELLA..............62578942
CAROTA Antonella.........24422
CAROTA Antoni.........64825471
CAROTA Fra.........67777231
CAROTINA.........63245781
CAROTONE Zal.........68935648
CARRETTINO ino..........62389245
CARRETTO Eugenio.........68533612
CARRO Armando............63468578
CARRO Fulvio..................66458972
CARRO Nando.................67958642
CAVOLETTO Enea..........64689578
CAVOL Marco.................66987854
CAVOL Nello...................68597845
CAVOLONE Chiara.........68533612

4 人們曾經需要利用厚厚的電話簿來尋找商業用的電話號碼。

5 電話是一種非常重要的通訊工具。

6 如果將電腦連接到數據機上，你就能上網了。

詞彙解釋

撥號聲 用以表示電話線順暢或被佔線的特殊聲音。

聲波 發聲體產生的振動，通過這種振動，聲音得以傳播。聲波以每小時約一千二百公里的速度在空氣中穿行。

無線電收發機 可以進行遠距離通訊的無線裝置。

無線電波 在自由空間（包括空氣和真空）中傳播的電磁波，可被用作播送廣播和電視節目等。

數據機 能將電腦連上電話線路的電子設備。

網站 在互聯網上能夠找到各種資料、信息和節目等的地方。

電視

1926年1月26日的早上，約翰．羅傑．貝爾德先生心情激動地醒來，因為再過幾個小時，他將向公眾介紹他的發明：一個能夠觀看從遠處傳送來的動態圖像的裝置。人們對此很好奇，但也難掩內心的恐懼：這根本就是巫師的道具啊！然而偉大的時刻到來了——約翰先生打開裝置，幾分鐘後，畫面出現在熒幕上……

試驗成功了。電視就此誕生！

如今，電視已經成為我們生活的一部分，但……你有沒有想過，究竟是什麼不可思議的魔法使圖像出現在這個神秘的盒子裏呢？

現在請你翻到下一頁，和我們一起去發現有關電視的秘密吧！

你在電視機上看到的影像來自電視台。每家電視台裏都有許多錄影和製作不同節目的錄影廠。在電視錄影廠裏有許多人同時工作着……看，下圖中這兩個錄影廠裏簡直亂作一團！但是，如果你仔細觀察的話，會發現為了讓節目順利播出，每個人在做的事情都很重要。

仔細看看錄影廠裏的設備吧！有些設備是必不可少的，比如是攝影機。這裏有各種各樣的攝影機，有些是固定的，有些被扛在肩上，有些會在軌道上行走，還有些被吊在一支長長的機械臂上。通過這些由攝影師控制的攝影機，就能拍下我們在家裏看到的那些影像了。

那聲音呢？人聲、音樂和噪音又是如何傳遞到我們這裏的呢？

當然是用麥克風啦！每個錄影廠裏都會有很多支麥克風。它們的形狀各有不同，有的像雪糕筒；有的連着長的吊臂，有點像長頸鹿呢。

有一個人對節目的順利完成起着至關重要的作用，那就是導演。在節目的錄製過程中，他必須坐在導播室裏，這樣他便可以同時看到所有攝影機拍攝到的畫面。

導演要指導和把控錄影廠裏的所有工作，決定將哪些畫面播送出去，以及何時切換畫面等。

貓頭鷹告訴你

電視可不單單是在錄影廠裏錄製的啊！有時，拍攝人員要走出電視台去追蹤新聞、拍攝紀錄片和節目外景，或者錄製體育賽事。

有些節目會在攝影機拍攝的同時被播出，這就是直播節目，常見的有電視新聞和一些重要的體育賽事。例如下圖中正在直播的足球比賽，場內所有的攝影機都嚴陣以待，將鏡頭對準整個運動場和球員們，而在記者席上則有報道員對比賽進行評論。場外還會有一個移動錄影廠，那是一輛內部裝備成導播室的貨車，導演會在裏面協調攝影師和其他工作人員的工作，而拍攝到的影像會直接傳送回電視台。

不過，大部分的節目都是在播出前幾小時或幾天前錄製的。在這種情況下，就能把拍得不好的鏡頭剪掉，重新再拍。這就是為什麼在電視節目中很少看到有人會犯錯！

導演還可以決定只使用拍攝得最好的那些鏡頭，將它們重新編排，從而讓節目達到更好的效果，這種處理手法叫「蒙太奇」。

貓頭鷹告訴你

電視新聞的主持人怎麼能記住所有要播報的內容呢？難道他們都擁有驚人的記憶力？才不是呢！他們自然是有訣竅的，但是觀眾看不到。事實上，主持人是照着放在他面前，與正在拍攝他的攝影機一樣高的一塊熒幕（提詞器）上的內容唸的。

那麼這些影像又是如何來到我們家中的呢？

這看起來像魔法，其實並不是！這都是靠攝影機將影像轉換成電信號，傳送到發射天線上。所有的電視台都有大型的天線，能將影像和聲音以電磁波的形式發射到天上。這些看不見、摸不着的電磁波以極快的速度在空中穿行，直到被安裝在屋頂的接收天線捕獲。不過，這不是把圖像傳送到電視機上的唯一辦法。電視台還有一種特殊的天線，名叫衞星天線，這種天線能將信號傳送到太空中的人造衞星上。

人造衞星會如撒雨點般將信號傳輸回地球，只有衞星天線才能接收這些信號。如果你家中有這種天線，你便可以收看海外的頻道。

此外，還有一種接收影像的方法——通過電纜。電信號能通過埋在地下的電纜被傳輸到電視機上。

天線通過一根電線與你家的電視設備連接。舊式的電視機裏，有一種名字奇怪的零件叫「陰極射線管」，它將電信號重新轉換成許多發光點，這些發光點組合在一起就能還原被傳送的影像。

不過以這種方式顯示影像的電視機較耗電，而且體積笨重佔空間，因此現今已被纖薄的液晶顯示器所取代。

只要將遙控器從頭到尾按一遍，你大概會知道有多少家電視台在同一時刻播放着各式各樣的節目，如：新聞、問答比賽、綜藝節目、電視劇、卡通片、電影……你有沒有發現電視台播放的節目會根據播出時段和季節而變化？

事實上，為了迎合電視觀眾的需求，每家電視台都會經常變換它的節目表。如果喜歡的電視節目播出的時候我們不能收看，從前人們會利用錄影機把它錄下來；現在我們則可以利用電視機的預錄功能。影像錄下來後，你想什麼時候看就什麼時候看啊！

貓頭鷹告訴你

你知道嗎？在你祖父祖母年輕的時候，電視畫面是黑白色的，而且只有一個頻道。後來，變成兩個、三個，直到現在，頻道多得數也數不清。那個時候也沒有遙控器，他們必須站起身去按掣轉換頻道；而當你打開電視機的時候，要等足足一分鐘，電視上才會出現畫面呢！

現在就讓我們回顧一下電視誕生的重要環節吧！
請你根據下面的圖畫說說看。

4
5
6

詞彙解釋

畫面　同一個事物，可以用不同的拍攝手法，呈現出不同的畫面，如：近景、遠景、全景或特寫。

報道員　用聲音描述或評論電視播放的事件的主播或記者。

人造衛星　人類從地球上用火箭發射並送入軌道的一種設備。除可用作轉發廣播信號外，還會被用作傳送通訊用的電信號及作氣象監測等功用。

遙控器　能夠遠距離對電視機發出指令，如：轉換頻道、提高或降低音量等的小型儀器。

節目表　顯示一天中電視節目的播映次序。電視台會根據節目的類型去安排播映的時間，比如卡通片都是在孩子們能觀看的時段播出的。

錄影機　這是一款舊式機器。它配合錄影帶使用，能把電視上的圖像和聲音錄下來，讓人們得以重溫節目。